W9-CQV-444

Ilustraciones y textos: Juan López Ramón /
Equipo Servilibro

© SERVILIBRO EDICIONES, S.A.
C/ Campezo, 13 - 28022 Madrid
Tel.: 91 3009102 - Fax: 91 3009118
www.servilibro.com

¡no tu la verdad!
mi primera Beso
Pinocho
de tu Lalu

SERVILIBRO

UNA NOCHE, PEPITO GRILLO TUVO
UN PRESENTIMIENTO: ALGO MARA-
VILLOSO IBA A PASAR EN CASA DEL
CARPINTERO GEPETO.

EL ANCIANO ESTABA ACABANDO
DE TALLAR UN MUÑECO.
–TE LLAMARÁS PINOCHO –LE DIJO
MIRÁNDOLO SATISFECHO.

GEPETO SE SENTÍA MUY SOLO Y AL MIRAR A PINOCHO DESEÓ QUE FUERA UN NIÑO. POCO DESPUÉS, SE FUE A DORMIR.

ENTONCES APARECIÓ EL HADA AZUL. TOCÓ AL MUÑECO CON SU VARITA MÁGICA Y PINOCHO COBRÓ VIDA.

–PODRÁS MOVERTE Y HABLAR
COMO UN NIÑO –LE DIJO.
PEPITO PENSÓ QUE A PINOCHO LE
VENDRÍA BIEN TENER UN AMIGO.

A LA MAÑANA SIGUIENTE, GEPETO
SE PUSO MUY CONTENTO.
–¿PERO CÓMO ES POSIBLE? ¡QUÉ
ALEGRÍA! ¡TENGO UN HIJO!

DESPUÉS LE DIJO:
–IRÁS AL COLEGIO PARA APREN-
DER Y SER UN HOMBRE DE PRO-
VECHO EL DÍA DE MAÑANA.

PINOCHO PARTIÓ EN COMPAÑÍA DE
PEPITO GRILLO. NO TENÍA NINGUNA
GANA DE IR AL COLEGIO, PERO
QUERÍA SER OBEDIENTE.

POR EL CAMINO SE ENCONTRÓ
CON UNOS PILLOS REDOMADOS.
–EL COLEGIO ES MUY ABURRIDO.
¿POR QUÉ NO VIENES AL CIRCO?

PINOCHO CEDIÓ A LA TENTACIÓN Y
SE FUE CON ELLOS, SIN HACER
CASO A LAS ADVERTENCIAS DE PE-
PITO GRILLO.

SE DIVIRTIÓ MUCHO CON LOS TÍTE-
RES Y AL FINAL LE PROPUSIERON:
–¿QUIERES IMITARLOS? ERES UN
MUÑECO, LO HARÁS MUY BIEN.

DECIDIÓ PROBAR Y SUBIÓ AL ES-
CENARIO. ESTUVO ACTUANDO DU-
RANTE UN BUEN RATO Y DIVIRTIÓ
MUCHO AL PÚBLICO.

MIENTRAS, LOS PILLOS HACÍAN UN TRATO CON EL DUEÑO DEL CIRCO: ¡VENDIERON A PINOCHO PARA QUE TRABAJARA ALLÍ!

CUANDO PINOCHO QUISO MAR-
CHARSE, EL DUEÑO NO SE LO PER-
MITIÓ. EL POBRE LLORÓ DESCON-
SOLADAMENTE HASTA QUE AL

HOMBRE LE DIO PENA Y LO DEJÓ
MARCHAR. SE FUE ENTONCES DE
VUELTA A CASA CON UNAS POCAS
MONEDAS POR SU TRABAJO.

POR DESGRACIA, SE ENCONTRÓ
POR EL CAMINO A LOS PILLOS DE
ANTES.
–¿QUÉ LLEVAS AHÍ? ¿DINERO?

–SON CINCO MONEDAS Y VOY A
LLEVÁRSELAS A MI PAPÁ.
–¿TE GUSTARÍA LLEVARLE UN SACO
LLENO DE MONEDAS?

–¡CLARO! –RESPONDIÓ PINOCHO.
–PUES VEN CON NOSOTROS AL
PAÍS DE LOS BÚHOS. ¡ALLÍ EL DI-
NERO CRECE BAJO LOS ÁRBOLES!

DE NUEVO, EL INGENUO PINOCHO
SIGUIÓ A LOS PILLOS.
–PLANTA TUS MONEDAS AQUÍ Y MA-
ÑANA HABRÁ MUCHAS MÁS.

PINOCHO DURMIÓ DE UN TIRÓN Y
AL AMANECER ESCARBÓ BUS-
CANDO LAS MONEDAS.

PERO NI SIQUIERA ENCONTRÓ LAS
QUE ÉL HABÍA PUESTO: ¡LOS PILLOS
LAS HABÍAN ROBADO!

MUY ARREPENTIDO, ECHÓ A AN-
DAR HACIA SU CASA. POR EL CA-
MINO ENCONTRÓ A SU AMIGO, PE-
PITO GRILLO.

POCO DESPUÉS PASÓ POR ALLÍ UN
CARRO CARGADO DE NIÑOS.
–¿ADÓNDE VAIS? –LES PREGUNTÓ.
–AL PAÍS DE LOS JUGUETES.

LE DIJERON QUE ALLÍ NO HABÍA
QUE IR AL COLE, QUE SE PASABAN
EL DÍA JUGANDO... PINOCHO SE EN-
TUSIASMÓ Y SE FUE CON ELLOS.

PERO EN AQUEL LUGAR NO ERA
TODO TAN DIVERTIDO: LE CRECIE-
RON OREJAS DE BURRO Y NO LE
PERMITÍAN IRSE DE ALLÍ.

LE COSTÓ MUCHO ESCAPARSE, Y
CUANDO VOLVIÓ A CASA GEPETO
NO ESTABA ALLÍ.
–FUE A BUSCARTE –LE DIJERON.

GEPETO, MUY PREOCUPADO, HABÍA IDO A BUSCARLO AL MAR, PERO NO REGRESABA. PINOCHO DECIDIÓ IR EN BUSCA DE SU PADRE.

ÉL Y PEPITO GRILLO SE EMBARCA-
RON Y NAVEGARON POR MARES Y
OCÉANOS. AL CABO DE UN TIEMPO
VIERON UNA ENORME BALLENA

QUE DORMÍA CON LA BOCA
ABIERTA. SE METIERON EN SU IN-
TERIOR Y... ¡ALLÍ ESTABA GEPETO!
¡QUÉ ALEGRÍA TAN GRANDE!

PADRE E HIJO SE ABRAZARON FE-
LICES Y PUSIERON RUMBO A CASA.
PINOCHO IBA DECIDIDO A POR-
TARSE MEJOR EN ADELANTE.

DESDE ENTONCES, NO FALTÓ AL
COLEGIO NI UN SOLO DÍA, A PESAR
DE QUE SE BURLABAN DE ÉL POR
SUS OREJAS DE BURRO.

UNA NOCHE, EL HADA AZUL SE LE
APARECIÓ:
–¿POR QUÉ TIENES ESAS OREJAS?
–NO SÉ... –MINTIÓ PINOCHO.

ENTONCES LA NARIZ DEL MUÑECO
EMPEZÓ A CRECER.
–ESTO SUCEDERÁ CADA VEZ QUE
DIGAS MENTIRAS –DIJO EL HADA.

DE CAMINO AL COLEGIO, PINOCHO
SE ENCONTRÓ VARIAS VECES CON
LOS PILLOS, PERO NO SE PARÓ
NUNCA MÁS A HABLAR CON ELLOS.

PASÓ EL TIEMPO Y EL HADA AZUL
QUISO PONERLO A PRUEBA.
–¿AÚN NO QUIERES DECIRME LA
VERDAD SOBRE TUS OREJAS?

PINOCHO LE CONTÓ TODAS SUS
TRAVESURAS, Y LE ASEGURÓ QUE
HABÍA APRENDIDO LA LECCIÓN Y
QUE QUERÍA SER BUENO.

AL VER SU ARREPENTIMIENTO, EL
HADA POSÓ SU VARITA SOBRE ÉL Y,
CON SU MAGIA, ¡LO CONVIRTIÓ EN
UN NIÑO DE VERDAD!

TODOS SE PUSIERON LOCOS DE
ALEGRÍA Y LE DIERON LAS GRA-
CIAS AL HADA AZUL. Y PINOCHO
FUE UN NIÑO OBEDIENTE Y BUENO.